Eine Idee von  ANDREA DAMI

Leo Lausemaus® ist ein eingetragenes Warenzeichen und erscheint im
Lingen Verlag, Brügelmannstraße 3, 50679 Köln
© 2013 der deutschen Ausgabe by Helmut Lingen Verlag GmbH & Co. KG
© 2013 Giunti Editore S.p.A., Milano-Firenze
Dami International, a brand of Giunti Publishing Group
Illustrationen: Marco Campanella
Text: Anna Casalis
Text für die deutsche Ausgabe: Frieda Böhm

49534/2

www.lingenverlag.de
www.leo-lausemaus.de

Printed in EU

Leo Lausemaus

will nicht in den Kindergarten

Illustrationen von

Marco Campanella

Heute ist ein ganz besonderer Tag: Leo Lausemaus ist groß genug und darf in den Kindergarten gehen. Aber Leo will nicht. Er kennt im Kindergarten noch niemanden und ist deswegen etwas ängstlich.

„Nein, Mama, ich will nicht dahin! Und Teddy auch nicht!", protestiert Leo.

Er hält seinen Teddy ganz fest und geht keinen Schritt mehr ...

„Nun gut, Leo! Ich will mich nicht mit dir streiten und außerdem habe ich heute jede Menge zu tun", meint Leos Mama. Sie geht in die Küche, holt das Bügelbrett und beginnt mit dem Bügeln der Wäsche.

Also darf Leo zu Hause bleiben. Er ist zufrieden und strahlt. Nach einiger Zeit ist Leos Mama fertig mit dem Bügeln. „Endlich!", freut sich Leo Lausemaus. „Jetzt kann ich mit Mama spielen."

Aber schon hat sich Leos Mama einen Eimer und den Wischmopp genommen und mit dem Putzen angefangen. „Oh nein! Mama soll mit mir spielen", findet Leo. Ihm ist schrecklich langweilig. „Wieso hat Mama keine Zeit für mich?", fragt sich Leo Lausemaus. Trotzig setzt er sich mit seinem Teddy in die Ecke, verschränkt seine kleinen Pfoten vor dem Bauch und schmollt ...

Uff!

So, nun ist der Boden sauber – aber da klingelt das Telefon! „Ach, Nelly, wie schön mal wieder von dir zu hören!", sagt Leos Mama ins Telefon. Tante Nelly hat immer viel zu erzählen. Also setzt sich Leos Mama auf den Hocker neben dem Telefon und hört gespannt zu.

Leo Lausemaus ist enttäuscht. „Ich will doch spielen!", denkt er und zupft energisch an Mamas Rock. Doch Mama telefoniert einfach weiter …

„Jetzt aber schnell!", ruft Leos Mama, nachdem sie den Telefonhörer aufgelegt hat. „Ich muss noch einkaufen. Und du kommst mit, Leo!"

Leo möchte lieber spielen, aber der Markt ist auch immer interessant. Beim Einkaufen trifft Leos Mama ihre beste Freundin und erzählt ihr gleich alle Neuigkeiten, die sie gerade von Tante Nelly am Telefon erfahren hat. Und das dauert und dauert ...

Da sieht Leo Lausemaus, dass der Kindergarten gleich gegenüber ist und flüstert: „Komm, Teddy, lass uns mal nachsehen, was da los ist!"

Leo Lausemaus schaut durch das Fenster in den Kindergarten. Er sieht jede Menge Kinder. Sie malen und spielen
und lachen miteinander und alle haben viel Spaß. Es gibt
so viel zu sehen, doch schon hört Leo seine Mama rufen:
„Leo, wo bist du? Wir müssen nach Hause!" Leo Lausemaus
läuft schnell zurück, doch er hat einen Entschluss gefasst ...

Abends, als Leo Lausemaus in seinem kuscheligen Bettchen liegt und die Mama ihn zudeckt, ruft Leo plötzlich: „Mama, heute schlafe ich noch einmal und morgen bin ich richtig groß. Dann gehen Teddy und ich in den Kindergarten!" Leos Mama lächelt: „Du wirst sehen, da sind viele Kinder, mit denen du spielen kannst. Das wird dir bestimmt gefallen! Und nun träum was Schönes. Gute Nacht, du kleine Lausemaus!"

Am nächsten Morgen wacht Leo schon sehr früh auf. Er kann es kaum erwarten, nach dem Frühstück endlich in den Kindergarten zu gehen.

Die Mama bringt ihn hin und unterhält sich noch mit der Kindergärtnerin. Aber Leo Lausemaus wird gleich von den anderen Kindern begrüßt. „Hallo! Schön, dass du da bist! Wie heißt du denn? Komm, wir zeigen dir den Kindergarten", rufen alle durcheinander.

Leo Lausemaus möchte sich alles ganz genau anschauen: die tollen Spielsachen, die bunten Malfarben, die schönen Bücher Aber jetzt geht es erst einmal nach draußen auf den Spielplatz „Juhu!", ruft Leo lauthals und saust zusammen mit Teddy die Rutsche hinunter. „Komm, Teddy, gleich noch mal!"
Alle Kinder spielen vergnügt miteinander und mittendrin ist der kleine Leo Lausemaus.

Zur Mittagszeit ruft die Kindergärtnerin: „Kinder, kommt alle herein!"
Das Herumtoben macht wirklich hungrig und auch durstig.

Leo findet in seiner neuen Kindergartentasche ein Käsebrot.
Dazu hat die Mama ihm einen Orangensaft eingepackt. Oh,
wie lecker!
Doch nach dem Essen ist Leo Lausemaus auf einmal so müde.
Zum Glück gibt es auf dem Boden dicke Matten für einen
Mittagsschlaf. Leo kuschelt sich in eine weiche Decke und
schläft sofort ein – und Teddy auch.

Nach dem Schlafen sind alle Kinder ausgeruht und gut gelaunt.
Leo Lausemaus läuft als Erster auf den Spielplatz. Jetzt kann
Leo mit den anderen Kindern eine Sandburg bauen oder
Sandkuchen backen. Hier gibt es so viele tolle Spielsachen, dass
Leo gar nicht merkt, wie schnell die Zeit vergeht. Schon ist es
Nachmittag und die Eltern kommen, um ihn abzuholen.
„Hallo Leo! Komm, wir gehen nach Hause!", ruft der Papa ihm zu.
„Ach Papa, jetzt schon?", fragt Leo traurig. „Hier ist es so schön!
Wir haben gespielt, gesungen, gemalt, gegessen und geschlafen
und wieder gespielt!", plappert Leo fröhlich.

Der Papa nimmt Leo auf seinen Arm und fragt leise:
„Nun hast du wohl keine Angst mehr?" Leo gibt seinem Papa
einen dicken Kuss und antwortet: „Nein, Papa, jetzt bin ich ja
auch schon groß!"

„Das stimmt! Ab heute bist du eine ganz große Lausemaus!",
freut sich der Papa. „Und weißt du, Leo, was das Tollste
ist?", fragt die Mama. „Morgen kannst du wieder in den
Kindergarten gehen und Spaß haben!"

Entdecke die Welt von Leo Lausemaus

hat schlechte Laune
ISBN 978-3-937490-21-2

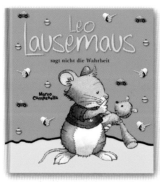

sagt nicht die Wahrheit
ISBN 978-3-937490-25-0

allein bei den Großeltern
ISBN 978-3-937490-26-7

will nicht in den Kindergarten
ISBN 978-3-937490-24-3

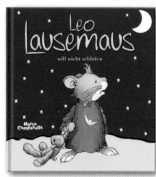

will nicht schlafen
ISBN 978-3-937490-20-5

hat Geburtstag
ISBN 978-3-938323-89-2

wünscht sich ein Geschwisterchen
ISBN 978-3-937490-28-1

will nicht essen
ISBN 978-3-937490-22-9

Lili geht aufs Töpfchen
ISBN 978-3-941118-30-0

Mama geht zur Arbeit
ISBN 978-3-937490-27-4

trödelt mal wieder
ISBN 978-3-938323-94-6

will nicht teilen
ISBN 978-3-941118-59-1

lernt schwimmen
ISBN 978-3-941118-75-1

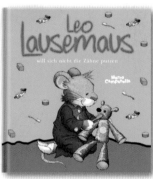

will sich nicht die Zähne putzen
ISBN 978-3-938323-18-2

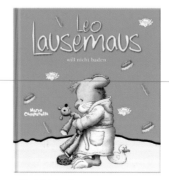

will nicht baden
ISBN 978-3-942453-53-0

will nicht zum Arzt
ISBN 978-3-941118-86-7

kann nicht verlieren
ISBN 978-3-942453-21-9

... überall im Handel und unter www.lingenverlag.de